For Harr...

C000065118

I am sure you
will find pleasure
in this book. It will
remind you of our
times together in
Glenprosen - Alexdale

love always
...

NEW POEMS

The Publishers have also issued by the same Author:
Poems, Scots and English
Further Poems
Random Rhymes and Ballads

One Act Plays:
In the Spring o' the Year
The Spaewife
Go to Jericho
Many Happy Returns
Cupid and Cupidity
The Lass that Lo'ed the Tinkler
Gretna Green

Three Act Play:
The Folk frae Condie

The poems in this volume, are a selection from those written during the years 1936 to 1948. Most of them appeared in the columns of the *Daily Record* or *Evening News*.

W.D.C.

NEW POEMS

BY

W. D. Cocker

GLASGOW
BROWN, SON & FERGUSON, LTD., PUBLISHERS
52 DARNLEY STREET

First Edition	–	1949
Reprinted	–	1981

ISBN 0 85174 404 4

© 1981 BROWN, SON & FERGUSON, LTD., GLASGOW G41 2SG
Printed and Made in Great Britain

To

Robert Tennent, M.B., F.R.C.S.,

In Friendship and Appreciation

CONTENTS

CONTENTS

CONTENTS

ST. PETER AND THE POET

A poet chapped at heaven's door,
  St. Peter bade him wait;
"I'll speir a thing or twa afore
  I let ye come this gate."

"Lived ye a sober life doon-by?"
  The puir man lookit blate:
"I took a dram, I'll no' deny."
  "That's bad, gey bad," said Pate.

"Wi' lassocks ye'd nae troke ava?"
  "Noo there ye hae me bate;
For weel I lo'ed them ane an' a'."
  "The deil be in't!" said Pate.

"Did ye gie siller to the kirk?"
  "I never gied a haet."
"Ye've nae mair gumption than a stirk
  To come this airt," said Pate.

"Did ye gie siller to the puir?"
  "No' muckle, whiles a tait;
I gied what bawbees I could spare."
  "Cauld Charity!" said Pate.

"But I gied rowth o' sangs, sae sweet
  Folk harkened lang an' late,
For I could gar them lauch or greet."
  "Come awa' ben!" said Pate.

WHAUR ENDRICK RINS

Noo smilin' Spring comes into view,
    An' bricht an' gowden glint the whins;
The braes pit on their braws anew
    Whaur Endrick rins.

The early buds are on the trees,
    The blackie's cheerfu' sang begins;
An' saftly blaws the gentle breeze
    Whaur Endrick rins.

Leese me on yon hill-girdled strath!
    The river an' its bonnie linns,
An' yae familiar hameward path
    Whaur Endrick rins!

Oh, to forget the sturt an' strife,
    Forget man's cruelties an' sins,
An' spend the gloamin' 'oor o' life
    Whaur Endrick rins!

THE KIRK-YAIRD

I whiles keek ower the kirk-yaird dyke—
As yin micht say—"prospectin'" like;
There's no sae muckle room in't noo,
It's gettin' fu', man, unco fu',
But some wee neuk that's still ower-lookit
Would dae me fine, I'm gey sma'-bookit.
I aye was social, it's ma natur:
A rale companionable cratur:
Here's company eneuch to suit me.
I like a rowth o' folk aboot me.
There's a' sorts here, frae cadger cairds
To fermer folk an' weel-born lairds;
There's orra buddies, frien's a puckle,
An' some I'm no taen on wi' muckle.

Yon humplock hides auld Patey Sinclair,
I kent him weel, a drucken tinkler;
I sair misdoot he's gane to bleezes:
The heid-stane says:—"Asleep in Jesus."
Yon muniment abune them a'
Is for the laird that's noo awa':
He buried twa wives, did the laird—
Had buried three gin he'd been spared—
The last, his relic', couldna thole 'im,
An' yet she's gien him this braw column.

Life's geyan queer, as shair's I'm born,
We're here the day an' gane the morn;
A solemn thocht for yin that's auld
An' feels his bluid is rinnin' cauld:
But, still an' on, I've leeved sae lang
I'll maybe no be sweir to gang.

Yon snod wee stane that suits her brawly
Was pitten up for Kate MacAulay;
She was a blyth an' bonnie lassie,
She was the toast o' mony a tassie:
I maist could greet to think she's gane,
An' here am I masel, alane.
Hoo lang is't noo? Dod, man, that's queer!
It's gettin' on for fifty year.

Yon lair doon by the auld kirk wa'
Is Piper Jock's—the man could blaw;
At mony a dance, I mind fu' weel,
His gleesome hoolichan or reel
Made auld feet soople, dowf he'rts croose,
Yet noo he lies as quate's a moose—
Quate like the lave that roon him sleep,
An' everlastin' silence keep.

The quate kirk-yaird, to this are comin'
A' roarin' chiels, an' flytin' women;
An' some that blethered a' their lives,
Auld haverin', claverin', clashin' wives,
Maun haud their wheesht an' be at rest—
Guid kens, it's maybe for the best.

THE BACHELOR BUDDIE

Big Geordie, the smith, is a fine he'rty lad,
    He whustles awa' as he dings at his studdie;
Ye'd never jalouse he was lanesome or sad,
    But, puir feckless chap, he's a bachelor buddie.

He hasna a wife or a wean o' his ain;
    He's blin', or he's blate, or as dour as a cuddie,
For mony a fine sonsy lass would be fain
    To pit up the banns wi' this bachelor buddie.

A braw strappin' chiel, wi' the brichtest o' een,
    A fair, touzled pow, an' a cheek that is ruddy;
He's aye been weel-daein', they say he's gey bein,
    Then why should he bide aye a bachelor buddie?

I'm a lass that has never thocht muckle o' men,
    But I canna get ower his behaviour, the cuddie;
It's a case o' fair wastry, he canna but ken
    That there's something gey queer in a bachelor
    buddie.

It's angersome hearin' him whustlin' awa',
    As he blaws at his bellows, or dings at his studdie;
Gin I werna a lass that's sae backward an' a'
    I would speir him mysel', the puir bachelor buddie.

THE AULD PIPER

A dirty nicht for man or doug,
   Wi' ilka blash the rain cam' dirlin'.
But, sodger-like, I cocked my lug
   To hear oot-bye a piper skirlin'.
I keekit oot, then glowered again,
   Louped to my feet, an' cried, "I'll wager
Yon drookit piper in the rain
   Is Jock MacColl, oor auld pipe-major!"

Fornenst the inn he mairched aboot,
   The lang, tume street his drones garred ring;
His kilt was but a tattered cloot
   But pride was in his gallant swing.
Through dub an' glaur he steppit licht,
   His auld cheeks swalled as he did blaw.
I hailed him in whaur lamps shone bricht,
   Syne, ower a dram, we cracked awa'.

"I mind ye, man, I mind ye fine,
   But gosh! ye're gettin' geyan grey,
An' ye were young gaun up the line
   To Neuve Chapelle yon unco day.
I'm auld mysel'. Hoo lang is't noo?
   Ay, time rins on, there's few could tell
This gangrel piper, whiles hauf-fou,
   Ance piped the lads to Neuve Chapelle."

"To tramp like this gies pride a ding,
   But pipin's a' that I can get.
They say that war's a fearsome thing,
   But Peace, I'm thinkin's fiercer yet.

I've socht for wark at hame, abroad,
    An' got it whiles when things were thrang;
But grey-heids first maun tak the road,
    I canna keep a job for lang."

"The pipin' trade is no' sae bad,
    Ye blaw yer best, an' tak' yer chance.
But sic a nicht as this!—Hoots, lad!
    We tholed waur weather oot in France.
Sae fare-ye-weel, I'll tak' my ways.
    It's guid to meet a man ye ken,
To haver whiles aboot the days
    When we were men, when we were men."

Oh, auld Pipe-Major Jock MacColl,
    Ye've had yer little day o' pride,
An' noo the wormwood an' the gall,
    I weel jalouse, are ill to bide.
An' yet ye thole it like a man!
    He left me in the blashin' rain;
His fingers ower the chanter ran,
    "Scotland the Brave" was his refrain.

THE PLOOMAN AND THE CRAWS

The plooman, trachlin' ower the lea,
  As aft ye'll see him plod,
Is, in the een o' craw or gull,
  Beneficent—a god.

A Providence that gies them food.
  They yammer in his wake:
"Here is the Giver o' a' guid,
  Come, brithers, an' partake!"

But to the craturs rived frae earth,
  The golach, worm an' weevil,
The plooman is nae god ava,
  But juist an ill-willed deevil.

THE GUID SAMARITAN

Lang syne frae auld Jerusalem,
  Fu' mony a year ago,
A packman body took the gate
  Doon-by to Jericho.

A gey unchancy road to gang—
  The body feared nae ills,
But caterans an' outlawed men
  Were hotchin' in the hills

Oot-ower the glen he had but gane
  A mile, or maybe twa,
When on him louped a reiver band,
  Ere whinger he could draw.

They rived frae him his claes an' gear,
  They clashed him ower the heid;
Syne, in a moss-hag on the muir,
  They left him gey near deid.

An' there, as in a dwam he lay,
  A minister cam' by,
A dreich auld body that could gab
  For oors ower sermons dry.

The holy man had feared nae skaith,
  Noo dreid was in his e'e;
He passed by on the ither side,
  An' left the loon to dee.

An elder o' the kirk neist cam'
  Gey croosly doon the brae.
He grued, an' said—"Hoo scunnersome!"
  Then hurried on his way.

Then by cam' a Samaritan,
  An ootlan, fremmit chiel
That never darkened a kirk-door
  Nor kent his Carritch weel.

He had compassion in his he'rt
  For a' that suffered sair;
He tended to the stricken man
  An' doctored him wi' care,

Pit embrocation on his hurt
  An' plaster on his pow,
Then on his cuddie heezed him up
  An' led him doon the howe.

Syne to the inns he brocht him safe,
  Paid for his bite an' dram.
Leese me on yon Samaritan
  That couldna sing a psalm!

THE WEE WIFIEKIE

There was a wee wifiekie bided her lane,
An' aye she would greet for a man o' her ain.
A gaun-aboot-body cam' by the road-end,
An' speired gin she'd ony auld kettles to mend.
"I've nae broken kettle, an' nae broken pan,
But my he'rt is near broken for want o' a man.
I'm a sonsy wee widow, as a'body kens,
I've a croft, an' a coo, an' a cleckin' o' hens."
The gaun-aboot-body thocht, "This is my chance";
An' syne they were wedded up-by at the manse.
Noo the silly wee wifikie, a'body kens,
Is wantin' her croft, an' her coo an' her hens;
But on lang, stoury roads wi' her man she maun wend,
An' speir wha's got ony auld kettles to mend.

PLOOMAN JOHNNIE

Ither laddies think me bonnie,
   Say my sangs are sweet an' rare;
Blin' an' deef is plooman Johnnie,
   Whustlin' by me, diel-may-care.

Why should I lilt nicht an' mornin',
   Tosh mysel', an' kaim my hair,
When he treats me wi' sic scornin',
   Whustlin' by me, diel-may-care?

Why, when ither wooers please me,
   Should this gar my he'rt stoun sair?
Think ye, does he dae't to tease me,
   Whustlin' by me ,diel-may-care?

Fegs! I'll be as prood as ony,
   Smile, nor look his gate, nae mair—
There he gangs again! Oh, Johnnie!
   Whustlin' by me, diel-may-care.

THREE WISHES

In days lang syne, when fairy folk
Wi' mankind hadna muckle troke,
But yince in ilka hunner year
To simple mortals micht appear,
A douce auld twasome bode their lane
Near-haun the gowk-stane o' Stra'blane,
A spot in grannies' tales enchanted,
By pixies, elves an' fairies haunted.

Yae nicht, auld Bauldy MacIntyre
Sat noddin' ower a dwinin' fire;
Fornenst him, wi' a visage glum,
Watchin' the reek gae up the lum,
Sat guidwife Jess, an' let him dose;
Gey sweir to rise an' mak' his brose,
An' get him to his bed weel tended,
Anither day o' trachle ended.

An' as she watched the swirlin' reek,
She thocht they baith wrocht week by week,
Aye even on, an' aye gat aulder,
An', like the dwinin' fire, grew caulder.
The fire, replenished weel wi' peat
Or faggot, flames again in heat,
But what, thinks Jess, the auld gudewife,
Can gie a second lowe to life?
What breath can blaw upon its embers,
To gie youth's glow that age remembers?

Philosophy an' waefu' thinkin',
Some folk maun tak' till't like the drinkin';
But Bauldy had sae little gumption

To think ava he thocht presumption.
He heard her sigh, an' waukened gantin',
An' said:—"What is it noo ye're wantin'?"

"It's oh!" said Jess, "I would be fain
Gin we were young an' strang again."
Wi' that, a sicht maist struck her dumb:
A fairy drapped clean doon the lum—
A queer, wee, spurtle-shankit mannie,
Gey eldritch, eerie an' uncanny.

He dangled first upon the swee,
Then on the hob he louped agee,
An elf, perjink in coat o' green,
That keeked at them wi' twa bricht een.
Auld Bauldy muttered in a fricht:—
"Hae I taen yill or no' this nicht?"
"The Lord preserve us!" cried his wife,
"Yon thing's a fairy, real as life!"

The wee man bobbed, an' booed an' beckit,
Dichtit the coom frae aff his jeckit,
Then said:—"Guid people, fear nae skaith,
I bring guid fortune to ye baith.
Three wishes shall ye hae this nicht,
Sae, think ye weel, an' wale them richt."
Then, jinkin' in the chimla cheek,
He vanished in a fuff o' reek.

Wi' shoogly knees that chapped thegither,
Jess rose, 'tween fear an' joy a-swither:—
"Three wishes!—Canny maun we choose—
He'll no' begunk us, I jalouse.

We'll bide a wee, dae nocht in haste.
Three wishes! Deil a yin we'll waste."
Then Bauldy up an' wished gey sudden:—
"Chaps me," he cried, "a big black-pudden!"

An' scarcely had he wished the wish
When on the table stood the dish,
A big black-pudden on a platter,
Rich, shinin', gawsy, bigger, fatter
Than ony pudden seen afore,
It steamed an' swat at ilka pore.

"Ye doitit gomeral!" cried Jess,
Her anger she could ill express,
"Three wishes—an' ye choose a pudden!
Yer heid's fair boss, or solid wooden.
What's health or wealth, what's name or fame?
Ye hae nae thocht abune yer wame.
A chance fair wasted! Fegs! I wish
Yer neb micht stick till't, stawsome dish!"

Jess rued her hasty words ower late;
The pudden loupit frae the plate
An' scaddin het, an' brawly smeekin',
It stuck to Bauldy's nose, still reekin'.
In waefu' case the puir man wrocht
To free himsel, an' dourly focht;
He rugged an' chugged, an' Jess, fair greetin'
Pu'ed, but the pudden, still unbeaten,
Stuck like a vice, while Bauldy rowtit:—
"I wish it would come aff!" he shoutit.
An' at the word, his pain was banished,
The pudden up the lum had vanished.

Oh, lang did Jess, wi' a' her micht,
Wish for guid fortune nicht on nicht;
Lang sat she waukrife by the fire
Flytin' on Bauldy MacIntyre.
They'd had their wishes three, an' faith!
'Twas muckle guid it did them baith.
Their luck was sma', an' ended sudden
In scaddit neb, an' smeek o' pudden.

THE GAMES

Losh! whatna thrangity's this in the clachan?
  Sirs! whatna steer in the kintry the day!
Pipers a' skirlin', an' lassocks a' lauchin',
  Ilka doug bowffin', an' a'body gay.
GAMES! Weel I wat to the games ye maun hasten,
  Nae ither ploy can entice ye ava;
Pipin' an' dancin' an' wrastlin' an' racin',
  Throwin' the hammer an' puttin' the ba'.

Here's an event to pit men on their mettle:
  Village teams meet in a keen tug-o'-war;
Oor lads'll win it, ay, that's what they ettle,
  Pu', callans, pu'! Tits! they've couped in the glaur!
Watch the big polisman tossin' the caber.
Gosh! whatna weicht for a man that's sae stoot!
Paddy, the poacher, says—"Gie me hard labour,
  Dinna ask me to heave pine-trees aboot!"

See the wee dancers, sae tosh in their tartans,
  Hingin' wi' medals that jingle an' shine.
Pipers are blawin', as rid-faced as partans.
  Man, but the music o' pipes is divine.
Noo comes the sack-race, an' hech! whatna whummle!
  Wee Duncan loups like a rale kangaroo.
Duncan'll win! Ach! he's gotten a tum'le!
  Noo we'll gang hame for the games are maist through.

THE SLIDE

The win' is snell an' nirlin', the frost is fell an' keen,
The auld man's gey carnaptious, ye'll see it in his een;
My lugs hae shairly failed me or I would say he swore—
The bairns hae made a slippy slide fornenst oor door.

The auld man left the ingle to tak' a dauner wast,
To see hoo hens an' sic like were farin' in the blast;
He took yae step an' skytit, then set up sic a roar—
The bairns had made a slippy slide fornenst oor door.

Awa' he slid sae daft-like, he lost his stauff an' hat,
Then tummlet ower his wilkies like some auld acrobat;
The bairns begued the skirlin', they thocht it sic a splore—
Hoo daur they mak' a slippy slide fornenst oor door?

The auld man stopped their cantrips, he thowed the slide
     wi' saut:
Gin bairnies get nae paiks the nicht it winna be his faut.
But callans will be callans, I've telt him that afore—
Lang syne he made a slide himsel' fornenst oor door.

THE BUS CONDUCTRESS

Yae mirk, wat nicht I trevel't doun
To Craigenpittock—wee ferm-toun.
I gaed by the bus—nae train rins near it—
An' as for my gate, I had to speir it;
For roads ye may ken in clear daylicht
Are no' sae easy to seek by nicht.
The bus conductress, blythe, braw lass,
A cheery word wi' a' did pass;
Sae I speired at her, though I'm blate a bittock:—
"Can ye tell me the road to Craigenpittock?"
She gied me a smile that was kind indeed:—
"I'll pit ye aff at the loanin' heid.
Jist sit ye doun sir, I'll no' forget."
Thinks I, my lassie, I'm in your debt.
I'm in your debt for that winsome smile
That'll cheer my he'rt for mony a mile.
Sae aff we rummeled in dark an' rain,
While my he'rt was singin' a glad refrain.
I thocht a smile an' a freenly word
That comes as licht as the sang o' a bird
Is easy to gie, an' is freely given,
But it coonts nae less in the scroll o' heaven.
We stoppit here, an' we stoppit there,
While the bus upliftit mony a fare;
There were ferm-lads, aff to some country dance,
An' lassies, toshed in their braws.   Romance!
An' a' to the blythe conductress spoke,
Wha punched their tickets, an' cracked a joke.
There were frail auld men that she helpit aff—
Be they e'er sae auld she could gar them daff;
There were wives wi' weans that she helpit on,
Then her smile—nae angel could smile like yon!

Thinks I, my lassie, I weel can tell
Ye'll hae weans o' yer ain some day yersel',
An' a man forby that'll lo'e ye weel,
For I ken, by the look o' ye, ye'll be leal.
Sae the lang bus journey swift did pass
While the poet dreamed o' a heedless lass.
For she took me a mile an' a lang, lang bittock
Past the wee ferm-toun o' Craigenpittock.
She said she was sorry, she clean forgot,
An' she gied me a smile—but *ach, to pot*!

THE WAT BACK-END

The summer's gane wi' scarce a blink o' sun,
An' noo this wat back-end we hae to thole,
When burns in spate come doon the braes like fun,
An' snell blasts blatter straucht frae aff the Pole.
Steer up the fire—ne'er heed the price o' coal—
Draw in your chair, an' dry your drookit knees.
The win' oot-by is soughin' through the trees,
Soughin' an' sabbin' like a puir lost soul.
Winter is on us ere the hairst's brocht hame.
Wae's me! my he'rt gey aft is in my wame.
When draiglet stooks are hunkerin' in the fields,
An' tume stack-yairds are ankle deep in glaur,
When beast an' man are fain to seek their bields,
What optimist daur say, "It micht be waur"?

IN TIME O' WAR

The nichts are creepin' in, we sit oor lane,
  An auld, frail man an' wife, fornenst the fire.
The win' soughs in the lum, the blashin' rain
  Skelps on the pane. The kye are in the byre,
The day's darg's dune, an' but an' ben the hoose
  The wife has a'things redd, tosh-like an' braw;
But though we sit an' crack we're no' sae croose,
  We're thinkin' on the lads that are awa'.

Whaur are ye noo, brave callans that we ken,
  In what queer quarters are ye noo stravaigin'?
The land that bred ye was in need o' men;
  Ye heard the cry, an' there was nae renaigin'.
Ye went to man the guns, to drive the tanks,
  To flee the air like gleds, to sail the billows;
Ye did your duty, marchin' in the ranks,
  Though hard your beds, ye socht nae safter pillows.

I'm thowless noo, my hinner days hae come,
  An' yet my he'rt gangs wi' ye whaur ye wander—
The rain upon the roof beats like a drum—
  I'm thinkin' on ye, sodger lads, oot yonder.
On desert sands, by Iceland's gurly shore,
  At hame, abroad, in camp or wooden shack,
Here's luck to a', an' better days in store,
  An', when the war is settled, haste ye back!

THE POLITICIAN

There was a wee man wi' a bletherin' tongue,
  Like the jow o' a guid-gaun bell;
Though his doited wits were a wee unstrung,
  He'd a guid consate o' himsel';
An aye in his bunnet there bummed yae bee:
  He ettled to ca' himsel' M.P.

He scrimpit his wife o' siller sair,
  But gied wi' a lavish pride
Donations here an' donations there,
  He scattered them weel an' wide;
An' he helpit "The Cause" at sicna rate
  That syne they made him a candidate.

An' when, like the skirlin' pipes o' war,
  There cam' the Election cry,
At meetin's he braved the heckler's baur,
  An' shoutit his thrapple dry.
His thochts on things were a wee agee,
  But, deil be in't, he would be M.P.

He rampit the country roon an' roon,
  He drave through the blashin' rain
To the lanesome glen, or the wee ferm-toon,
  Whaur he couldna gang by train.
A nicht o' snaw brocht him nigh to daith,
  But a gey sair hoast was his only skaith.

An' some folk peetied the puir wee chiel,
  An' swore he would hae their vote;
But what was his policy nane kent weel,
  For the colours o' Joseph s coat
Were dowf an' drab compared to the hues
  O' that bletherin' man's political views.

Yae time he spak' he was a' for Peace,
  The neist he was a' for War;
Gin Tariffs would mak oor trade increase,
  Free Trade was oor polar star.
An' the fushionless tunes o' the B.B.C.
  He would sort when they made him their ain M.P.

He havered here, an' he clavered there,
  He ca'd on the wives an' a';
He sklimed to the tap o' the heichmaist stair
  An' crackit an 'oor or twa.
An' he kissed the weans, though it garred him grue,
  But he thocht: "I'll hae to be freenly noo."

Braid Europe's future nane may guess,
  We swither to staun or fa';
We hing in the balance mair or less,
  An' the Lord preserve us a'!
But the prood wee man wi' the dour intent
  Has gotten his seat in Parliament.

THE SOWER

Neive aboot, an' neive aboot,
  The sower sows the grain;
But sheave aboot, an' sheave aboot,
  He wins it back again.

  Wi' lavish haun he scatters seed;
  Though some o't feeds the craw,
The feck o't will tak' root an' brierd,
  For such is Nature's law.

Wi' open haun, an' open he'rt,
  Be ready aye to gie;
Wha never gies, will never get,
  Is the Divine decree.

Neive aboot, an' neive aboot,
  The sower sows the grain;
But sheave aboot, an' sheave aboot,
  He wins it back again.

THE PATIENCE O' JOB

Lang syne Auld Nick a dirty trick
    Ance played on patient Job;
IIe garred the reivers yoke on him
    To murder an' to rob.

IIis kye, his cuddies an' his kin
    He lost at yae fell blatter;
Puir Job looked gash at this stramash,
    But jist said, "Tits, nae matter!"

"I cam' into this warld wi' nocht,
    I'm noo whaur I began;
'Tis Heeven's will, I'll thole it still:
    I'm Job, the patient man."

The deil anither plisky played
    To try the hero's mettle;
Wi' plooks an' biles he fashed him whiles:
    Still Job was in guid fettle.

But when some scunnersome auld freens
    Cam' roon him to hob-nob,
To flyte an' gie him guid advice,
    That sairly tried puir Job.

But, dour an' thrawn, the man held on,
    Till Nick had dune his worst;
An', syne, the latter days o' Job
    Were better than the first.

Sae, freens, gin things should gang agley,
    This lesson ye maun learn:
Ne'er rail at Fate, for, sune or late,
    Things aye maun tak' a turn.

THE LOOKERS-ON

The sun keeked ower the weary hill,
  An glowered wi' skelly e'e:
"Noo wha would rise, day in day oot,
  On sic a warld?" said he.

The dwinin' mune gaed white's a cloot:
  "I'm gled to gang," quo' she,
"I've seen this nicht what gars me grue:
  "Hate, wrang an' crueltie."

A wee staur blinked his hinmaist blink
  As in the lift he shrunk:
"I've seen a' that, an' something mair—
  That's spunk, my billies, spunk!"

THE PLOOMAN'S FAREWEEL

I'll pack ma kist, an' tak' the road,
The fee's no' worth a button;
I daurna bide in Ballochgyle
To eat their braxie mutton.
The maister is a dour auld tyke,
The mistress is his marrow,
They wark ye like a driven slave,
An' feed ye like a sparrow.
It's kail an' sowens, kail again,
It's brose an' braxie mutton;
I aye was dainty at my meat,
Though, faith, I'm no' a glutton.
Gin maisters wrocht as weel as men,
Gin mistresses were human,
An' aye set kitchen doon at meat,
An' didna scrimp their ploomen,
Then men micht whustle ower their darg,
An' sit to supper cheery;
But sair's ma back, ma wame is boss,
Ma very een are bleary.
The morn I'm for the feein'-fair;
I care na whaur I'm putten,
But set me far frae Ballochgyle
An' stawsome braxie mutton!

MARCH

March cam' in like a lion,
  Wi' rantin' roar an' rattle,
Bellowin' an' defyin'
  The auld toun's lums to battle.

He tirled a' the sklates,
  He whummled a' the "grannies,"
He whustled lood a' gates,
  Through closes, neuks an' crannies.

March gaed oot like a lamb,
  A cratur there's nae guile in;
He peched oot lown an' calm,
  An' April sailed in smilin'.

THE MERMAID

Ye fishers by Kilbrennan shore,
    At e'en when gloamin' fa's, beware;
A bonnie lass sits on a scaur,
    An' aye she kaims her gowden hair.

She sings an elfin sang an' sweet,
    She sings it to a haunting air,
A waefu' sang would gar ye greet,
    An' aye she kaims her gowden hair.

Her briest is like the drifted snaw,
    Her broo is like the lily fair,
There's glamour in her een an' a',
    An' aye she kaims her gowden hair.

A fisher lad her sang beguiled—
    Oh, fey was he to tryst her there—
She looked upon him lang an' smiled,
    An' aye she kaimed her gowden hair.

"What gars ye sing that elfin sang?
    What gars ye sit an' kaim your hair?"
She said, "I've waited late an' lang,
    But noo, my love, I'll bide nae mair."

Then in her airms she clasped him ticht,
    Uncanny was her lauch an' croose;
Her een were like a cat's at nicht,
    A cat that's catched a chitterin' moose.

Deep doon, deep doon the lad she bore,
    Upon a sea-bed cauld to lie;

An' ower the lane Kilbrennan shore
  The sea-maws skraiched their eldritch cry.

Gae seek Kilbrennan gin ye daur,
  The fisher lad ye'll see nae mair,
But still the lass sits on the scaur,
  An' aye she kaims her gowden hair.

OH, THE SPRING'S SWEIR TO COME

Oh, the Spring's sweir to come,
  Though the Winter's awa';
The birds are a' dumb,
  Save the yammerin' craw.
The auld folk that chitter,
  An' sit by the lum,
Say:—"The win's geyan bitter—
  The Spring's sweir to come."

The ruts are still deep
  In the loan—sic a fyke!
The kye an' the sheep
  Seek the bield o' the dyke.
An' there's rain on the roof,
  Ye can aye hear it drum;
Oh, a' things gie proof
  That the Spring's sweir to come.

But we ken that ere lang
  We shall hear yince again
The lintie's glad sang,
  When it's green in the glen.
When 'mang blossomin' hedges
  The eident bees hum,
We'll hae clegs—we'll hae midges,
  An' Summer will come!

WHEN WE ARE AULD

When we are auld, oor een wi' sleep hauf steekit,
   An' sit thegither ower life's dwinin' fire,
I'll mind hoo up the braes, lass, ance we cleekit,
   Wi' he'rts sae licht, an' feet that didna tire.
Ah' when oor day is dune for wage or hire,
   An' we are thowless baith, forfochen sair,
Wi' a' oor trachle ower in field or byre,
   Ye'll still seem young to me, ay, young an' fair.
An' though oor broos be runkled, white oor hair,
   An' winter gethers roun' us, dowf an' cauld,
The lowe o' love shall warm oor he'rts the mair,
   When we are auld, my lass, when we are auld.

DINNA CRAW OWER CROOSE

There was a cock upon a midden,
Gey sweir to let his licht be hidden.
He crawed as lood's would wauk the deid,
But naebody pey'd ony heed.
He took the strunts, an', gey insultit,
His leddy frien', a hen, consultit.
Said she—"As sune's the sun is risen,
Ye craw as lood as ony dizzen,
Sae croose, sae clear; upon my word
Ye are a maist kenspeckle bird.
But naebody taks note ava;
For ilka cock at morn can craw;
But craw ye in the deid o' nicht,
An' folk'll ken ye're there a' richt."
That nicht the cock begued to craw:
Neist day they gied its neck a thraw.
A fule, lang tholed, may be suppressed
As sune as he becomes a pest.

IN TIME O' HAIRST

The sodgers cam' to dae their darg
   In time o' hairst when we were thrang:
On a' the ferms aroon Glenfarg
   When corn was ripe they laboured lang.

Braw lads, gey soople on their shanks—
   Ye'd ken they'd ne'er been bred in toons—
They reared the yellow stooks in ranks,
   "Dressed by the richt" like their platoons.

They kept the reapers a' in smiles,
   Blythe to escape frae camps an' tents;
They daffed amang the lassies whiles,
   An' bragged aboot their regiments.

But when the crap was gethered in,
   An' theekit weel was ilka stack,
An' a' the wark o' hairst was dune,
   The sodgers to their camps gaed back.

Anither tryst they noo maun keep,
   In caulder quarters they maun lie,
An' red the hairst the lads'll reap
   Afore this waesome war is by.

But when the stibble-rig we ploo,
   An' when in spring we sow the grain,
An' hope awakes in he'rts anew,
   We'll pray they win safe hame again.

FARMYARD POLITICS

There was a big, braw bubbly-jock,
  King o' the castle, stoot an' strang;
But mony a wee bit bantam-cock
  Thocht he had ruled the roost ower lang.
An' aye they thrieped he should resign,
  Nor heedit though they raised his dander;
They pit it to the vote an' syne
  Deposed him for a daidlin' gander.

A gangrel thief brak in that nicht,
  The gander couldna thole his dunts:—
"Help, bubbly, help!" he cried in fricht:
  But bubbly-jock had ta'en the strunts.
A quackin' fule may whiles pretend
  He's great like conquerin' Alexander:
Trust aye the chief whase worth ye've kenned,
  An' lippen to nae feckless gander.

WINTER NIGHT

The red sun draps ahint the hill,
  It glowers, then dwines awa';
An' though the gloamin' lingers still
  Ere lang mirk nicht maun fa'.

An eerie win' soughs through the trees,
  The glen lies cauld an' bare;
The rutted roads an' loanin's freeze,
  For frost is in the air.

A shilpit mune hings ower the hill,
  An' wee staurs blink abune;
An' a' things sleep, sae quate an' still,
  Save for the waukrife win'.

BOMBED

This bourach, this rickle o' stanes,
    This humplock, a' blackened wi' flame,
Wi' the reek an' the stoor hingin' ower't,
    Is a' that is left o' my hame.

But north lie the Campsies sae green,
    An' Ben Lomond sae muckle an' gran',
Oh, Hitler, ye've ettled yer warst,
    Bomb *that* gin ye can!

THE AULD LOVE

I biggit a hoose, baith braw an' bricht,
  For my new love sae fair;
But the ghaist o' my auld love cam' ilk nicht,
  An' walkit there.

I made a sang, a' sangs abune,
  For my new love to lilt;
But the wraith o' my auld love kens the tune
  An' dances til't.

Then fare ye weel, my love that's new,
  Ye'se get nae mair o' me;
For a lang syne love I hae ta'en the rue,
  An' she winna dee.

CARPE DIEM

Lauch, while it's time for lauchin',
　An' sing while ye are young:
Nor rue in the dreich days comin'
　The merry sangs unsung.

Love, while it's time for lovin',
　Nor bide ootbye the fauld
Till your he'rt is an auld, tume bourach,
　Whaur the fires hae lang gane cauld.

Greet, while there's cause for greetin',
　Lest pity pass ye bye,
An' your een are like wells forgotten,
　Whaur the springs lang syne gaed dry.

Lauch, while it's time for lauchin',
　An' sing while ye are young;
Grey eild will be ower sune on ye,
　An' a' your sangs be sung.

THE ANTIQUARIANS. (1936)

The plooman stopped to dicht his broo,
An' on the heid-rig turned his ploo,
Then stooped, an' glowered like ony bairn,
An' frae the furrow picked an' airn;
A lang, thin airn, clay encrustit,
Wi' years o' burial red an' rustit.
An' as he glowered, swith on his heels
There cam' some antiquarian chiels;
The laddie spiered them gin they kent
The use o' this queer implement.
Frae haun to haun they passed it roun',
Syne on a dyke they sat them doon
To haver an' to argue sairly,
An' haud an inquest on the ferlie.

Said yin:—"This broken auld claymore
Is frae some tulzie focht o' yore,
When there was nae sic thing as order
Baith North an' Sooth the Hielan border.
I'll prove—to nane I'll be behauden—
This weapon antedates Culloden."
"Hoots!" said anither learned billie,
"Culloden! dinna be sae silly.
I weel jalouse at Bannockburn
This auld pike-heid has dune its turn."
"That's nae pike-heid, man," cried anither,
"A Roman sword—an' yet I swither
Gin it's no' Pictish." Thus they clavered,
An' ower the queer-like airn havered.

The plooman lad unyoked at gloamin',
An' still they argued, "Celtic," "Roman,"

41

An' deil a haet would ony yield,
Till hirplin' slowly ower the field
Cam' auld, dune Donald frae the clachan,
An' when he heard he stertit lauchin'.
Said he-"To me that's naething new—
The couter o' a feerin'-ploo."
Familiar things are strange to some;
The antiquarians a' were dumb.

This story has a moral clear
For statesmen in this bodefu' year:—
Frae thochts o' war an' warfare cease
An' turn your minds to things o' peace.
Let weel-plooed rig an' furrow be
The happier future's history.

SPRING IN STRATHENDRICK

The wee burn bickers doon the brae
  As fast as it can rin;
It sings a canty sang an' gay,
  An' plowters in the linn.

The primrose decks its mossy banks,
First floo'er o' Spring to blaw;
The laverock in the lift gies thanks
  That Winter's noo awa'.

On ilka knowe lambs loup an' fling,
  The buds are on the trees:
There's naething like a hint o' Spring
  To gie the he'rt a heeze!

THE LAIRD AND LUCKIE MACPHEDRAN

The laird o' Lochsheen sairly needit a wife,
  His last ane had dee'd on him gey unexpeckit;
The hoosekeeper jaud was the plague o' his life,
  She ne'er fashed her thoom, an' the man was negleckit.

Auld Luckie MacPhedran that keepit the inns
  Could set doon a dinner nae king would disparage;
Yae day, when the laird was gey fou, for his sins,
  He took the daft notion to speir her in marriage.

"I'm wantin' a wife to tak' hame to Lochsheen,
  I'm dwinin' awa' for the want o' guid feedin';
Ye're geyan ill-faured, but I'll juist steek my een,
  Ye ken hoo to cook, an' that's a' that I'm needin'."

Noo, fain would auld Luckie hae louped at the chance,
  But pride held her back, an' a feminine shrinkin',
For this seemed to fa' something short o' romance;
  Sae, a' that she said was:—"I doot ye've been drinkin'."

She sune took the rue when the laird had gane hame;
  "I've fair pit my fute in it noo," she lamentit.
"It's no' ilka day I'll get offers the same.
  I'll cry the man back, for there's nocht to prevent it."

But lang days gaed by ere her neist chance befell:
  Quo' she:—"Dae ye mind what ye speired last October?"
The laird hung his heid. "I think shame o' mysel',
  I would never hae speired ye gin I had been sober."

"Tits! man, never heed, I ne'er gied it a thocht.
  But come your ways ben an' sit doon to your dinner.
Here's broth, beef, an' bubbly-jock: want ye for ocht?
  Wae's me! but your lairdship has shairly gat thinner."

She plied him wi' victuals, she plied him wi' wine,
  Till, fou as a wulk, he again begued speirin'.
The randy begunked him, an' led him on fine;
  An' this time she wasna the least dull o' hearin'.

Noo Luckie is mistress o' bonnie Lochsheen,
  The laird gets his dinner set doon to him dainty;
But the sicht o' his wife is sae sair on his een,
  That the man isna sober the yae day in twenty.

THE JAP

I canna thole the yellow Jap,
He's sic a scunnersome wee chap.
Gie him a tail an' he's a monkey;
Yet, still an' on, the wee deil's spunky.
He winna let his licht be hidden,
But craws like bai tam on a midden.

This scruntit puddock o' a man
Thinks there's nae country like Japan;
Prood o' the land that gied him birth,
He ettles noo to rule the earth.
Gin to be ruled by *thae* we're born,
Then let the last trump blaw the morn.

EMBARKATION LEAVE

Hame, to show masel aff,
  Wi' the stripes on ma sleeve,
Hame, to dance or to daff—
  There's nae time to grieve.
War's sic a wild giff-gaff—
  But I've fower days leave.

The lassies at hame are braw,
  But they're blate a bit.
The brume is beginnin' to blaw
  By the muir-burn-fit;
It'll bloom when I'm weel awa'—
  But I've fower days yet.

An' then I'll awa' oot-by,
  Far frae folk o' ma ain,
Frae the fields that I ken, an' the kye,
  An' braes I speeled as a wean;
I'll think o' them lang, deed ay,
  Ere I'm hame again.

LOVERS

I winna let thee gang.
  It's late, my lass, to rue;
We've lo'ed ower weel an' lang,
  I canna tine thee noo.
I winna let thee gang.

I winna let thee gang.
  Folk clash? That matters least;
Let it be richt or wrang,
  I haud thee to my briest,
An' winna let thee gang.

LANG SYNE

There are nae days like the auld days
  When we were young, lang syne;
An' nae ways like the auld ways
  We trevel'd rain or shine.

There are nae sangs like the auld sangs
  We lilted blythe thegither;
An' nae loves like the auld loves
  We had for ane anither.

There are nae hopes like the auld hopes,
  Sae gallant an' sae fair;
An' nae dreams like the auld dreams
  We downa dream nae mair.

THE RID-HEIDIT LASS

Ye mettlesome laddies that envy your daddies,
  An' seek to win oot o' the bachelor class,
Tak' tent wi' your wooin', for fear ye'll be ruein'
  The day ye fell in wi' a rid-heidit lass.

For these are the Tartars that capture the martyrs,
  An' glower at them aye wi' a visage o' brass;
Carnaptious an' flytin', aye barkin' an' bitin',
  There's nane are sae thrawn as a rid-heidit lass.

An ill-tempered hizzy, her tongue is aye busy,
  When wee she was kent as the clype o' the class;
Wha raises her dander she'll back-bite an' slander—
  Oh, wha would be yoked to a rid-heidit lass?

Locks gowden an' curly gey seldom are surly,
  Locks black as a corbie your fauts will let pass;
Tak' broon, grey or yellow, my fortunate fellow,
  But rin like the deil frae a rid-heidit lass!

THE KILT

Wae's me for the tartan! The philabeg swankie,
  The garb that swung licht on the lads debonair,
That flaunted on fields sic as fierce Killiecrankie,
  Shall lead in the onset o' battle nae mair.

An' order decreed that the breeks o' the Saxon
  Shall henceforth disguise oor braw sodgers in strife;
But their foemen jalouse wha they're turnin' their backs on,
  They ken wha they've met, an' they rin for dear life.

In breeks or in tartan, we're mair than the marrow
  O' slavish battalions that ne'er hae been free;
The lads frae the Spey, or the Tay or the Yarrow
  Still ken hoo to fecht, or, if needs be, to dee.

THE LATECOMER

A lassock's haun is chappin' at my he'rt,
  But I hae steeked the door:
Lang syne she had been welcome in this airt,
  She should hae come afore.

"Oh, let me in, to warm mysel, at least,
  On this cauld nicht o' snaw!"
Her little neive is chappin' at my briest:
  Chap, chap awa'!

Gae seek some ither gate that's fair an' fine:
  My he'rt is boss an' bare,
An' it was broken for your sake lang syne,
  An' it can love nae mair.

LOT'S WIFE

A canny body, Lot they ca'd 'im,
Dwalt in the wicked toon o' Sodom.
He thocht that it was geyan eerie
To bide 'mang neebours sae camsteerie;
The Lord some day for their misdeeds
Micht burn the place abune their heids.
Though nae man likes a fashious flittin',
He telt his wife they maun be quittin'.
Quo' she:—"But here we're geyan croose,
Whaur'll we get a better hoose?
Nae doot the neebours are sair sinners,
Aye drinkin' drams, an' backin' winners;
'Keep to yersel'—is my advice,
But here we'se stop, gin ye be wyce."
They argy-bargied even on,
Gin Lot was dour, the wife was thrawn;
The mair he thrieped, the mair she grat,
An' said:—"I winna steer, that's flat.

But Lot jaloused the truth; ere lang
The Lord gied them a hint to gang.
In fear an' haste they took the gate,
Nae switherin' noo, nae time to wait;
An' scarcely had they left the toon
When thunnerbolts cam' pappin' doon,
An earthquake gied volcanic sneezes,
An' Sodom syne gaed up like bleezes.
Rinnin' an pechin', faster, faster,
Lot ran like stour frae the disaster.
But Lot's wife, mindfu' o' her hame,
An' a' her bits o' things in flame,

Keeked back, gey ruefu', at the lowe,
An' brocht Heeven's judgement on her pow.
Sair punished for her waesome faut,
A' in a gliff, she turned to saut;
An' there she stood, a stookie set,
A monument o' vain regret.
Believe this story ilka jot,
Or tak' it wi' a pinch o' saut.

THE QUEST

Ower the hills an' awa' stravaigin',
   Rangin' far, an' ayont the seas,
He dreamed o' gowd at the rainbow endin',
   An' he'rts are broken for dreams like these.

Lang he looked for the priceless treasure,
   Socht for't through the warld sae wide,
Then cam' back to his ain auld biggin',
   An' found it there at his ain fireside.

A BORDER KEEP

Fower tume wa's,
On the knowe by the crook o' the river,
In the glen whaur a snell win' blaws, aye blaws:
Fower blackened wa's,
An' a hearthstane cauld forever.

Lane Border keep,
Wi' rafters ruined an' rotten,
Thy river rins drumly an' dark an' deep,
Auld Border keep,
Ghaist o' a past forgotten.

Oh! silent glen,
Whaur the peesweep's cryin', cryin',
Roun' the ancient hame an' hauld o' gallant men,
Oh! eerie glen,
Whaur the wraith o' a flag keeps flyin'.

THE WISDOM O' SOLOMON

Mensefu' Solomon, lang syne,
Was the wicest o' his line;
Great his lear, for I'm jalousin',
He made proverbs by the thousan'.
Wha could say wi'oot presumption
That King Solomon lacked gumption?
Yet, for a' his fame in story,
Solomon, in a' his glory,
Acted like a lang-lugged cuddie
Aftener than onybody.
Kings whiles lead the daftest lives:
He had seeven hunner wives—
Wives in muckle droves like kye,
Ither orra joes forbye.
Sic a rowth fair droons the miller,
Costs, to keep in braws, guid siller;
Gin tl at's wice, then black 's white:
Solomon the King was gyte.

JOCK TAMSON'S LEG

Jock Tamson lost a leg at Loos,
   An' lost a lass when he cam' hame;
For Jenny Broon, as a' jalouse,
   Juist jiltit him an' thocht nae shame.
"Nae doot he's been a sodger brave,
   But, oh!" said she, "his leg's awa';
A man wi' yae fute in the grave
   Is no' the man for me ava."

Stoot he'rts are no' sae easy broke,
   Jock Tamson tholed it no' sae bad,
But took a staw at weemen folk
   When Jenny got anither lad.
Yet, ere a year or twa had sped,
   He mairried Tam the roadman's dochter,
A lass juist deein' to get wed,
   Wha gladly took the first that socht her.

Jock hirplin' gamely on a crutch,
   Wrocht geyan hard noo for his pains,
His pension?—Ach!—yer granny's mutch!—
   That canna keep a wife an' weans.
An' weans—he fair lost coont at last—
   They cam' in twins, or welcome single;
Wi' whiles a feast an' whiles a fast
   Jock's was a gey camsteerie ingle.

Puir Jock he dealt in pots an' pans,
   He traiked the country roon an' roon;
He sell't the auld wives braw tin cans,
   An' heard the clash frae toon to toon.

An' aye he speired at folk gey keen,
  In a' his trevels near an' far,
Gin ony o' them kent a freen
  Wha'd lost a left leg in the war.

It was his *richt* leg Jock had lost,
  (Guidsakes! it micht hae been his heid.)
But aye he grudged the waefu' cost—
  A *pair* o' buits he didna need.
He'd gethered sic a useless store
  O' left-fute buits he didna want;
Sae aye he speired frae door to door
  As roon the country he did jaunt.

Then someyin tell't him Pat M'Phee
  At Neuve Chapelle a leg did tine.
Jock trystit him; they met wi' glee—
  A left fute?—ay, an' number nine.
He'd found his lang-socht mate at last;
  They struck a bargain, nane are losers.
Yet noo he's got that trouble past
  Jock grudges sair a *pair* o' troosers.

TWA SABBATHS

Aye even on, the blashin' sleet
  Garred burns rin big in spate;
An' taigled kirk-folk, tired an' weet,
  Were cauld as weel as late.
The bell had chapped its hinmaist stroke,
  The noon was black as mirk,
An' twa-three draiglet, drookit folk
  Sat chitterin' in the kirk.
The meenister, gey auld an' grey,
  Said, "Brethren, I perceive
But few hae daured, this stormy day
  Their ain fireside to leave.
But step ye to the manse ower-bye,
  For fear ye come to harm,
An' roon the fire ye'se a' get dry,
  An' worship while ye warm."
The manse fornenst the kirk stood nigh,
  An' there, the guid auld mannie
His faithfu' flock syne brocht in-bye—
  Three elders an' a granny.
A wee bit sermon he did preach,
  He ettled syne a psalm,
Then, roon the fire he gied to each
  A maist revivin' dram.

A week gaed by o' weather wild,
  Neist Sabbath, waur than ever,
The snaw-drifts in the loans were piled,
  An' ilk burn ran like river.
The frichtsome hail cam' skelpin' doon,
  The win' richt gurly blew;
But—wat ye hoo the news gaed roon?—
  The kirk was fu', bung fu'!

THE WITCH

Was ever a carlin like Barbara Chisholm?
   The bairns a' jaloused that the jaud was a witch
That rade the nicht sky on the shank o' a besom,
   An' syne would be brunt in a barrel o' pitch.

Wha whummled the wame o' the coo o' the cottar?
   Wha lappered the cream in the dairymaid's kirn?
Wha garred the wife's hens tak like jucks to the watter?
   Wha sneckit the wabster's best threid on the pirn?

Bab's een were sae skelly they keekit roon corners;
   She glowered at the laird an' it garred the man grue;
He vowed she'd be whippit, like beggars an' sorners,
   The sicht o' the limmer would scunner a soo.

The minister ca'd her a hellicate besom,
   She'd troke wi' the deil, ye could see't in her een.
Was ever a carlin like Barbara Chisholm,
   Sae auld, an' sae runkled, an' naebody's freen?

THE ERRANT WOOER

Yestreen as I gaed ower the brae
   To keep a tryst wi' Nancy,
I met anither bonnie lass
   Wha took my rovin' fancy.

Her dancin' een were glintin' bricht,
   Her lips were like the cherry,
Her witchin' smile had magic in't
   To mak a man feel merry.

Said I, "My braw an' winsome lass,
   What taks ye oot at gloamin'?
Is there nae lad to be your jo,
   That lanely ye gang roamin'?"

Said she, "I canna thole the men,
   But gin ye will convoy me
'Twill keep the ither lads awa',
   For sairly they annoy me."

I wasna blate to tak the hint,
   An' said, "To me jist lippen."
An' roun her waist sae neat an' jimp
   My airm gaed gently slippin'.

I ettled syne to pree her mou',
   To kiss her free an' fairly,
When ower the dyke a birkie louped,
   An' yoked upon me sairly.

Cried he, "Ye hallanshaker loon,
   Hoo daur ye steal my Tibbie?"
She fleeched wi' him to let me be:—
   "He canna help it, Gibbie."

Dumfounert, I but speired at him,
  What richt he had to meddle;
But in his oxter aff she gaed:—
  I answered my ain riddle.

She had begunked me, randy jaud,
  To mak her ain jo jealous;
Oh! weemen are the deils an' a',
  As wice men aften tell us.

My rovin' he'rt gat sic a shog,
Nae fremmit lass I'll fancy.
An' yet, I kept my tryst yestreen,
  Sae dinna clype to Nancy.

LAMENT FOR THE TRADITIONAL SCOT

The Scotsmen o' history
  Whaur hae they gane?
Wae's me! It's a mystery
  Nane can explain.
The dour men, the douce men,
  We see nane ava;
The canty, the crouse men
Are a' wede awa'.

Nae Scot was a gawky,
  But a' lads o' pairts;
The eident, the pawky,
  They cam' frae a' airts;
An' ilk university
  Hotched wi' gleg chiels
Wha, nourished on scarcity,
  Throve like thrawn deils.

Their creed was the Carritch,
  The kirk was their pride;
Their fare brose an' parritch,
  Their knowledge was wide.
Their aim—to mak' siller
  Or win braw degrees,
Or fair droon the miller
  Wi' Scottish M.Ps.

The Scotsman o' history,
  Nane kens his howff;
His hauns noo are blistery
  Playin' at gowff;
For gowff requires practice,
  Gin folk can be fashed;
But, meanwhile, the fact is—
  Auld Scotland has crashed.

GRANNY'S PROVERBS

Douce granny had rowth o' proverbial lear,
   The auld pawky sayin's weel-kent in her day;
As shair as a braw lassie's waddin' drew near,
   "A bride that is bonnie's sune buskit," she'd say.

She'd proverbs in plenty for ilka event:
   "A gaun fit's aye gettin'" to pedlars cam' pat,
An' brawly the bairnies jaloused what this meant—
   "Guid gear's in sma' buik, there's nae doot aboot that."

She'd proverbs gey pithy for dour Aunty Nell,
   Like, "Better a grumph than a sumph in the hoose";
An' even auld baudrons gat ane for himsel'—
   "A blate cheety-cat maks a geyan prood moose."

Noo granny's awa' frae this warld an' its care;
   I think o' her whiles on the heavenly shore,
An' I see her hob-nobbin' wi' Solomon there,
   An' tellin' him proverbs he ne'er kent afore.

BAIRNS O' LANG SYNE

Bairns noo-a-days are sae fractious an' girnie.
  Sweir to dae ocht wi'oot bribe or a fee:
Aye I am threepin' that, doon in Kilbirnie,
  Things were gey different when grannie was wee.

Bairns o' lang syne aye the auld folk were helpin',
  Rinnin' their errands as gleg as could be;
Nae mair reward than escapin' a skelpin'
  Ever was needit when grannie was wee.

Weans maun hae ploys, but, contentit wi' little,
  Peevors an' bools were the toys that ye'd see,
Greetin' an' girnin' are troubles gey smittle,
  Baith were unkent when your grannie was wee.

Weans had scrimp siller for pictur's or sweeties—
  Setturday's penny was whiles a bawbee;
Daddies were deeved wi' nae feckless entreaties,
  Bairns fleeched for *naething* when grannie was wee.

DAYS O' WAR

The blackie has biggit her nest in the thorn,
    Whaur the sweet-scented flourish blooms bonnie in May;
Gin summer's no' here, it is comin' the morn,
    The cry o' the cuckoo is heard on the brae.
The yellow whin glints by the wee, jinkin' burn,
    The first o' the bluebells are gay in the glen;
How blythe could we be wi' the year at the turn,
    Gin it werena for yae thing—the madness o' men!

THE WELCOME

The bairns are in their beds lang syne,
  But winna steek their waukrife een.
The kitchen clock has chappit nine.
  The hoose is a' by-ornar clean;
The kettle's singin' on the swee,
  The fireside's shinin' braw an' bricht.
The bairnies ken as weel as me
  Their daddy's comin' hame the nicht.
An' oh! he's been sae lang awa',
  An' oh! he'll hae sic tales to tell!
I've kept my smeddum up an' a'.
  But days were dreich wi'oot himsel'.
He gaed to guard oor native shore:
  To grudge his service I'd think shame.
Noo, there's his step! He's at the door!
  Oh. sodger daddy, welcome hame!

GRAND-DAD ON MUSIC

Said grand-dad, I canna be fashed wi' the wireless,
  There's nae music noo like the auld jigs an' reels;
The young folk would keep it gaun, nicht an' day, tireless,
  But what I'll no' thole is this jazz to my meals.

A man o' great gumption said music was merely
  The least disagreeable sort o' a noise;
Gin ye'll harken a whilie ye'll find that there's clearly
  Mair noises than wireless to add to your joys.

There's music in a' things, there's something gey couthy
  In the rattle on plates o' the keen knife an' fork,
An' what gies maist joy to the lugs o' the drouthy?—
  The squeak o' the corkscrew, the *plunk* o' the cork!

THE MITHER

Oh, lads, my bonnie lads, when ye were little
   I happed ye doon at nicht to sleep in peace,
An' garred ye baith lie quate, though whiles 'twas kittle,
   Ye were sic rogues, your cantrips ne'er would cease.

Whaur are ye sleepin' noo? Does ocean billow
   Row you, my sailor Rab, to slumber deep?
An' Johnny, in the desert, pack for pillow,
   By yon lang-thrappled cannons dae ye sleep?

Hard are your beds; an', sindered taen frae tither,
   Far hae ye wan'ered, lads, but I'd be fain
To still watch ower ye like a heedfu' mither,
   An' hap ye doon to sleep at nicht again.

THE FIRST YULE-TIDE

Cauld was the nicht an' lang the road—
Oh, for the reek o' a freenly lum!—
Joseph an' Mary had trevelled far;
An' Mary kent that her time had come.

The toun was thrang wi' sic croods o' folk—
Was ever sic steer in Bethlehem?—
Joseph an' Mary socht up an' doon:
There was nae room in the inns for them.

"Whaur'll we lie this winter nicht?
Whaur'll I bide till my babe is born?"
"Into the byre amang the kye;
We'll seek for a better hoose the morn."

There in the byre amang the strae
Jesus, the King o' Kings, had birth;
While angels sang in the lift abune
Their gladsome chorus o' Peace on Earth.

Herds that tended their flocks by nicht
Heard, dumbfoonded, the gleesome sang;
Up they gat, an' awa' they gaed—
"We'll speir the meanin' o' this ere lang."

Wyse men oot o' the fremmit east
Heard a sough o' the news afar:
Glowerin' lang at the skies they'd seen
Yae kenspeckle an' bonnie star.

Followin' aye whaur it would lead
Ower stoury deserts they took their way,
Till they reached the stable in Bethlehem
Whaur the new-born babe in a manger lay.

Shepherds an' wyse men knelt them doon—
What were the thochts o' Mary then?—
While the welkin rang to the angel's sang:—
Glory to God! Guidwill to men!

Nearly twa thousan' years hae gane
Since that glad nicht o' the Saviour's birth;
We've a lang, lang road to trevel yet
Ere we reach oor heaven o' Peace on Earth.

An' the nichts are cauld on Bethlehem's hills,
An' the stoury desert is dreich an' lang,
An' the he'rts o' men are thrawn, thrawn he'rts:
But we ken the gate that we ocht to gang.

PECULIARITIES

Cauld Aberdeen's kenspeckle for its "nearness."
   Auld Ru'glen, toon o' lums, is famed for reek.
The folk o' Pollokshaws are kent for queerness.
   A blash o' Greenock rain can last a week.
In Paisley ilka drouth thinks he's a poet.
   Prood Edinburgh's win's blaw unco snell.
The Glesca keely's vulgar, an' can show it—
   But what the deil is wrang wi' Motherwell?

GRIEF TROKES WI' US A'

Grief trokes wi' us a', an' though lang ye may jink it,
   Ye'll meet, syne or sune, some misfortune in store;
Ye'll no' be aye happy, sae dinna ye think it,
   For Sorrow comes chappin' at ilka man's door.

Sae lauch while ye may, an' be merry, my mannie,
   Ye'll greet, ere a's ower, though ye ne'er grat afore;
Ye canna jouk Fate, ca' ye ever sae canny,
   For Sorrow comes chappin' at ilka man's door.

But Fortune's a jaud that can speak wi' twa voices,
   An' aft she speaks gently, though whiles she may roar;
Ye'll find it's a puir he'rt that never rejoices,
   Though Sorrow comes chappin' at ilka man's door.

THE AULD DROVE ROAD

The auld drove road was reuch indeed,
  An' lang syne seldom trod;
The track ran by oor loanin'-heid,
  A gey steich path to plod.

A passer-by seemed something queer,
  The road was aye sae quate;
Folk keekin' frae their doors would speir:—
  "Wha's yon gaed wast the gate?"

The track is noo a by-pass road,
  An' thrang baith nicht an' day;
An' car on car wi' heavy load
  Comes birlin' up the brae.

Awa' they skoosh, wi' stour an' roar,
  Ower hills noo maistly flat;
An' a' the warld gaes by oor door
  Wi' nane to speir, "Wha's that?"

THE CRAW AND THE LINTIE

Said the craw to the lintie,
"Ye cheepin' bit thing,
Dae ye ca' that a sang?
Did ye e'er hear me sing?"

Then, "Caw! caw!" he skraiched,
Said the lintie, "That's fine;
Guid sir, let me tell ye,
Your voice is divine."

As prood as a piper
Awa' flew the craw;
But a wee speug had heard,
Frae the tap o' a wa'.

"Oh, lintie, ye leear,"
Cried nebby wee speug,
"Yon croak is an insult
To ony bird's lug."

"I ken," said the lintie,
"I telt him a lee;
The craw canna sing,
But he's bigger than me."

DINNA THOLE OWER LANG
(On hearing our native land described as a "depressed area.")

The creed o' Burns, that man to man
   We should like brithers be,
An' bide contented gin we can,
   Is gospel guid for me;
But dinna thole ower lang, Scotland,
   Dinna thole ower lang,
When naething but your ain richt haun'
   Avails to richt your wrang.

There comes a time to ilka man,
   To ilka race on earth,
When they maun fecht for their ain haun',
   Like the doughty smith o' Perth.
That time has come to thee, Scotland,
   That time has come to thee;
For noo your back is to the wa',
   An' ye maun fecht or dee.

The fields that yince grew craps o' corn
   Are pastures noo for sheep,
The hills whaur heroes yince were born
   The deer alane noo keep.
Ye'll reap a puir hairst noo, Scotland,
   Ye'll reap a puir hairst noo;
The land has lost its guid back-bane
   Whaur nane can haud the ploo.

What garred ye foster alien sons
   That bring ye nocht but shame?
Through a' the land a rabble runs
   That recks na o' your fame.

Ye aye were kind an' croose, Scotland,
　Ye aye were kind an' croose,
But ere your guid name's tint an' a'
　It's time to redd the hoose.

Your industries hae dwined awa',
　Your life-bluid's ebbin' fast;
Puir midden-cock, your only craw
　Is o' the days lang past.
Whaur's your auld smeddum noo, Scotland?
　Whaur's your auld smeddum noo?
What ails ye that ye thowless staun'?
　Ower late ye'll tak' the rue.

Wae's me for Scotland—Wae's me's aye
　The ower-come o' your sangs—
But stoot he'rts briest the brae that's stey,
　Nocht's lost till courage gangs;
Your richt fute forrit set, Scotland,
　Your richt fute forrit set,
United let us tak' the field,
　Oor slogan, Scotland yet!

FARMYARD CIVILITIES

Said the hen to the juck:—
"Cluck-cluck!
Come oot o' the rain;
I've a hoose o' my ain,
Step in-bye
An' keep dry.
I'll no' see ye stuck.
Cluck-cluck!"
Said the hen to the juck.

Said the juck to the hen:—
"I'm no' comin' ben
To perch on a rack—
Quack-quack!—
Or roost in a pen.
There's a dub that I ken
Whaur I'll plowter an' plash,
An' let the rain blash.
An' I'm no' comin' back—
Quack-quack!
For if I dinna dook
I'll gang in the pook.
Alack!
An' look at me then!—
As daft-like's a hen!
Quack!"

"Cluck-cluck!
Best o' luck!"
Said the hen to the juck,
As she waddled awa'
Through the glabber an' a'.

"May ye droon in yer dub,
Ye clarty auld scrub!
May ye addle the eggs
Ye hae laid in the seggs!
Cluck!"
Said the hen to the juck.

THE HAIRST—PEACE AND WAR (1936)

They're thrang at the hairst this day in the fields I ken,
  The fields o' hame, in the land whaur I was born;
It's a hertsome sicht to see the buirdly men
  An' the bonnie lassies stook the yellow corn;
While the whirr o' the reaper heard far up the glen
  Gars neebours think:—"We'll stert oorsels the morn."

They're thrang at the hairst this day in the fields o' Spain,
  An' Daith, the reaper, shears through a land forlorn;
For War's dreid hairst maun be reaped in wae an' pain,
  Whaur the deil himsel' sowed tares amang the corn.
Braid Europe hears that bluid-drooked country's maen,
  An' bodefu' thinks:—"We'll stert oorsels the morn."

HENS

The daftest thing alive's a hen,
Maist feckless cratur that I ken.
It rins afore the fastest wheel,
An' flaps an' flusters like the deil.
It canna soom like sonsy juck;
Its sang's a timmer cluck-cluck-cluck.
It lays an egg wi' muckle fuss,
But whiles it's no' industrious.
In Winter, when an egg ye'd like,
The hen, thrawn cratur, gaes on strike.
When eggs are dear as they can be,
That's when she'll tak' a tirrivee.
Nae fleechin', flattery or dunts
Will mak' a hen come oot the strunts.
In Spring, when eggs are cheap an' plenty,
For twa in Winter she'll gie twenty.
Deed, ay!—the daftest thing's a hen,
Maist feckless cratur that I ken—
Unless a cock—he'll flap an' craw,
An' canna lay an' egg ava.

THE NANNIE-GOAT

A nannie-goat tethered, was fain to be free:—
"There's little scowth here, sae I'll dwine an' I'll dee."
There was grass there in plenty for beast o' its kind,
But, like a thrawn cratur, the nannie-goat dwined.
Its owner, gey wae to see nannie sae ill,
Syne lowsed it an' let it stravaig on the hill.
But ower muckle freedom was bad for the goat,
Its cantrips sune made it an object o' note.
It yoked on the collie, it frichtit the sheep,
It waukened the herd frae his efternune sleep.
When chased frae the hill by the shepherd's abuse,
It ran doon the brae an' invadit the hoose;
It cowpit the dairymaid's kirn on the flair,
It butted the hauflin, an' garred him greet sair.
An' syne it was tethered again to a tree:
Ye maun earn by your actions the richt to be free.

THE DEIL TAK'S THE RUE

Said a wee black imp to the muckle deil,
  "It's lang sin' hell had a richt guid baur;
Folk ken fu' weel hoo to lee an' steal,
  But it's time we were stertin' anither war."
"Ha! ha!" lauched the deil.

"What'll we dae wi' the statesmen auld,
  That steer up strife when they needna fash?"
"Till their bluid rins cauld, an' they staun appalled,
  We'll egg them on to the grand stramash."
"Ha! ha!" lauched the deil.

"What'll we dae for the war-lords' sakes,
  An' the thowless generals theorisin'?"
"Gie them men for stakes to play jucks an' drakes,
  An' dinna be blate in their advertisin'."
"Ha! ha!" lauched the deil.

"What'll we dae wi' the profiteers,
  That thrive sae weel on the lives o' men?"
"Gie them a' three cheers, an' mak' them peers.
  There's a hame for them here at the hinner-en."
"Ha! ha!" lauched the deil.

"What'll we dae wi' the sodgers brave,
  Time-servin' men an' territorials?"
"Let them cross the wave to an unkent grave,
  An' carve their names on the war-memorials.'
"Ha! ha!" lauched the deil.

"What'll we dae wi' the wives an' weans
  An' auld folk there in the big thrang city?"
"Let the murderin' planes skail a' their pains
  On the helpless crood, an' show nae pity."
"Think shame!" said the deil.

DANIEL

Daniel, in the lion's den,
Dauner'd but an' dauner'd ben,
Singin' a' the sangs o' Zion,
Rowtin' waur than ony lion.
No' a tooth nor yet a claw
Pit its mark on him ava.
Skaithless he gaed walkin' there,
Aiblins he was stawsome fare.
Can it be nae hungry lion
Thocht his banes were worth the tryin'?
Had they come to the conclusion
That an Israelite was pushion?
Prophets' hides are geyan teuch:—
"Braxie meat again, boys. Uch!"

STRONACHLACHAR

Stronachlachar! Stronachlachar!
Far among the hills of heather,
Lapping water all around you,
Sombre waters, cold and deep;
Looking out upon the mountains,
Huddled close for warmth together,
Lies a little fairy island,
Nestling in the loch asleep.

Stronachlachar! Stronachlachar!
Once upon that island dreaming
For a moment I had visions
Of a life I'd lived before,
Glimpses all too brief to capture,
Snow upon your hill-tops gleaming,
Pine-trees casting giant shadows
On the waters at your door.

Stronachlachar! Stronachlachar!
Wraiths from out the bygone haunt me,
Like the mists that wreathe the corries
In the hollows of Glengyle.
Something happened, when I know not,
To delight me or to daunt me;
Shall I ever know the secret
Hidden in my fairy isle?

CHURCHILL. 1940

Now God be thanked, that in our hour of need
We have the man to guide the helm of State,
The leader born, the man supremely great,
The captain of the old heroic breed.
Churchill, though called so tardily to lead,
Spurs to swift action: not for him to wait
Passive while foes are storming at the gate.
He speaks the word and matches it with deed.

Orator, statesman, soldier, each in part,
Magician alike with tongue and pen,
His ample courage radiates on men.
Dogged in aspect, rock in stormy sea,
He is the pulse of Britain's mighty heart,
The guarantor of final victory.

THE GOLDEN MOUNTAINS
(A Fable)

In a vale, in ages olden,
  Dwelt a man who could not rest,
Dreaming of the hill-tops golden
  Gleaming in the distant west;
Shining mountains in the sunset,
  Surely mountains of the blest.

So towards that vision splendid
  Marched he through a toilsome night,
Till at dawn his journey ended
  On a bleak and barren height;
Only bleak and barren hill-tops,
  No great splendour, met his sight.

Sad he viewed the prospect dreary,
  Sick of soul, his bright hopes gone,
Then looked back to see the weary
  Road which he had come upon:—
And the hills of home were shining,
  Golden in the radiant dawn.

OLD COMRADES

The feast draws near an end, and one by one
  Our fellow guests depart;
Draw closer, brothers, and though these have gone,
  Be merry, and take heart.

Life was a banquet, and the wine we quaffed
  Had sparkle in the bowl;
They were good fellows, those with whom we laughed,
  Commingling soul to soul.

They have not gone for ever, we shall meet
  Some other when and where;
In vasty halls of light again we'll greet
  With joy old comrades rare.

GLOSSARY

GLOSSARY

airn, iron
baudrons, puss
baur, joke
begunk, befool
bield, shelter
biggin', building, house
billie, comrade
birkie, fellow
bools, marbles
boss, hollow, empty
bourach, heap of stones, hut of loose stones
buirdly, stalwart
buskit, dressed
caird, vagabond
camsteerie, unruly
carlin, hag
carritch, catechism
caterans, robbers
chaps me, exclamation meaning, "I choose"
chappin', knocking
chitter, shiver, chatter the teeth
clype, tell-tale, to tell tales
coom, soot
couter, coulter
daff, to banter, to sport
dander, temper, irascibility
dowf, melancholy
downa, cannot
drookit, soaked
droon the miller, expression denoting a superfluity—"too much of a good thing"
drouthy, thirsty
drumly, turbid
dwam, swoon
dwine, dwindle
eild, old age

eldritch, weird
ettle, intend, attempt
feerin'-ploo, plough that marks the riggs before ploughing the whole field
ferlie, wonder
fleech, coax, importune
flourish, May blossom
fornenst, opposite, before
fractious, peevish
fremmit, strange, foreign
fyke, bother
gantin', yawning
gawsy, plump, jolly
giff-gaff, give and take
girnie, querulous
gliff, moment, flash
grat, wept
gurly, boisterous
gyte, mad
haet, whit
hallanshaker, rough fellow
heeze, uplift, heave
hellicate, wild, unruly
howff, place frequented, haunt
humplock, a heap
hunkerin', squatting
ill-faured, ill-favoured, ugly
jimp, slender, neat
joes, sweethearts
kenspeckle, conspicuous
kist, chest
kittle, difficult
lang-thrappled, long-throated
lapper, curdle
lear, knowledge, learning
leese me, an expression of pleasure in some person or thing
lift, sky

GLOSSARY

limmer, worthless woman
lippen, trust
marrow, equal
mensfu', discreet
neive, fist
ootlan, foreign
orra, odd, occasional, spare
paiks, punishment
pappin', pelting
partan, crab
perjink, precise
pook, the "moult"
puddock, frog
pushion, poison
redd, set in order
renaigin', denial, withholding
rowth, abundance
rowtit, bellowed
runkled, wrinkled
scaur, rock, cliff
scowth, scope
scrimp, to stint, niggardly
scruntit, stunted
shank, leg, handle
shilpit, puny, shrunken
shog, shake
skaith, harm
skelly, squint-eyed
skytit, slid
sma'-bookit, of small bulk
smittle, infectious
snod, neat

sorner, sturdy and threatening beggar
sowens, a dish made from husks of oats
stawsome, nauseating
steek, shut
steich, steep
strunts, huff
studdie, anvil
sturt, turbulence
swee, swing above fireplace for suspending pot
swith, suddenly, quickly
taigled, hindered
tait, small quantity
tassie, cup, drinking-glass
theekit, thatched
tine, loose
tint, lost
tirl, rattle
tirrivee, fit of temper, commotion
thriep, insist
toshed, tidily or smartly dressed
troke, dealings
tume, empty
wame, stomach
whinger, small sword
yer granny's mutch, exclamation meaning nonsense! (lit. your grandmother's cap)
yill, ale

INDEX TO FIRST LINES

INDEX TO FIRST LINES

INDEX TO FIRST LINES